MOLIÈRE

Jean-Baptiste Poquelin, dit Molière, est né en janvier 1622 à Paris. Fils d'un père tapissier, il perd sa mère à l'âge de dix ans. Après avoir suivi des études dans un collège jésuite, il se destine un temps à une carrière d'avocat, mais sa rencontre avec Tiberio Fiorelli, dit Scaramouche, et avec Madeleine Béjart, le détourne de ses projets. Ils décident de fonder une troupe de comédiens, L'Illustre Théâtre, qui s'inspire de la tradition italienne de la *commedia dell'arte*. Ensemble, ils connaissent des succès divers en province et dans les salles parisiennes.

Molière a apporté au théâtre un regard incisif sur le monde, qu'il doit à son observation minutieuse des caractères et de leurs travers. À la fois auteur et acteur, on lui doit nombre de pièces comiques, notamment : *Les Précieuses ridicules* (1659), *Sganarelle ou le Cocu imaginaire* (1660) ou encore *Les Fourberies de Scapin* (1671), et quelques chefs-d'œuvre du théâtre français : *Tartuffe* (1664), *Dom Juan* (1665) ou *Le Philanthrope* (1666).

Il meurt sur scène lors d'une dernière représentation du *Malade imaginaire*, le 17 février 1673.

DU MÊME AUTEUR
CHEZ POCKET

DANS LA COLLECTION « POCKET CLASSIQUES »

DOM JUAN
GEORGE DANDIN
L'AVARE
LE BOURGEOIS GENTILHOMME
LE MALADE IMAGINAIRE
LE MARIAGE FORCÉ *suivi de* L'ÉTOURDI
LE MÉDECIN MALGRÉ LUI
LE MÉDECIN VOLANT *suivi de* SGANARELLE
LE TARTUFFE
LES FEMMES SAVANTES
LES FOURBERIES DE SCAPIN
LES PRÉCIEUSES RIDICULES

LE MÉDECIN MALGRÉ LUI

CLASSIQUES À PETIT PRIX

ALAIN-FOURNIER
- *Le Grand Meaulnes*
ANTHOLOGIE
- *Des troubadours à Apollinaire*
APOLLINAIRE
- *Alcools* suivis de *Calligrammes*
BALZAC
- *Le Colonel Chabert*
BAUDELAIRE
- *Les Fleurs du mal*
LYMAN FRANK BAUM
- *Le Magicien d'Oz*
BEAUMARCHAIS
- *Le Barbier de Séville*
- *Le Mariage de Figaro*
BRONTË
- *Jane Eyre*
CARROLL
- *Alice au pays des merveilles*
CORNEILLE
- *L'Illusion comique*
- *Le Cid*
DAUDET
- *Lettres de mon moulin*
DIDEROT
- *Supplément au Voyage de Bougainville*
- *La Religieuse*
DUMAS
- *Les Borgia*
- *Les Trois Mousquetaires*
FITZGERALD
- *L'Étrange histoire de Benjamin Button*
- *Gatsby*
FLAUBERT
- *Madame Bovary*
- *Trois Contes*
GRIMM
- *Raiponce et autres contes*
- *Blanche-Neige et autres contes*
HUGO
- *Claude Gueux*
- *L'Homme qui rit*
- *Le Dernier Jour d'un condamné*
- *Les Misérables*
- *Lucrèce Borgia*
- *Ruy Blas*
LA BRUYÈRE
- *De la cour Des grands* suivi de *Du souverain ou de la république*
LACLOS
- *Amour, liaisons et libertinage*
LA FAYETTE
- *La Princesse de Montpensier*
LA FONTAINE
- *Fables* (choix de fables)
- *Fables* livres I à VI

MARIVAUX
- *L'Île des esclaves* suivie de *La Colonie*
- *Le Jeu de l'amour et du hasard*
MAUPASSANT
- *Bel Ami*
- *Boule de Suif* suivie de *Mademoiselle Fifi*
- *Le Horla et autres nouvelles fantastiques*
- *Pierre et Jean*
MÉRIMÉE
- *Carmen*
- *La Vénus d'Ille* suivie de *Djoumâne* et *Les Sorcières espagnoles*
MOLIÈRE
- *Dom Juan*
- *L'Avare*
- *L'École des femmes*
- *Le Médecin malgré lui*
- *Le Médecin volant* suivi de *L'Amour médecin*
- *Le Sicilien ou l'amour peintre*
- *Les Fourberies de Scapin*
MUSSET
- *On ne badine pas avec l'amour*
- *La Confession d'un enfant du siècle*
PERGAUD
- *La Guerre des boutons*
PERRAULT
- *Le Petit Chaperon rouge et autres contes*
RACINE
- *Phèdre*
RIMBAUD
- *Illuminations*
ROSTAND
- *Cyrano de Bergerac*
ROUSSEAU
- *Les Confessions* livres I à IV
SHAKESPEARE
- *Roméo et Juliette*
TOLSTOÏ
- *Anna Karénine*
VERLAINE
- *Jadis et Naguère*
VOLTAIRE
- *Candide*
- *L'Ingénu*
- *Zadig* suivi de *Micromégas*
ZOLA
- *Thérèse Raquin*
STEFAN ZWEIG
- *Lettre d'une inconnue* suivie du *Joueur d'échecs*
- *Vingt-Quatre Heures de la vie d'une femme* suivies du *Voyage dans le passé*

MOLIÈRE

LE MÉDECIN MALGRÉ LUI

Préface de Nicolas Millet

Le Médecin malgré lui a été représenté le 6 août 1666.

Pocket, une marque d'Univers Poche, est un éditeur qui s'engage pour la préservation de son environnement et qui utilise du papier fabriqué à partir de bois provenant de forêts gérées de manière responsable.

ISBN : 978-2-266-15221-1

PRÉFACE

On a sans doute tout dit et tout écrit sur Molière. On l'a situé dans son époque, on a étudié la moindre de ses répliques, réfléchi au caractère de ses personnages, envisagé toutes les mises en scène auxquelles son œuvre peut donner lieu. L'intérêt pour tous ces éléments littéraires, scéniques, biographiques et bibliographiques participe en vérité d'un seul et même mouvement : la profonde actualité de l'œuvre, sa modernité, sa nécessité. Nécessité de la lire, de la faire partager, de la voir sur scène.

Quand il écrit *Le Médecin malgré lui*, en 1666, Molière, de son vrai nom Jean-Baptiste Poquelin, est au sommet de sa gloire. Sa troupe est devenue troupe du roi l'année précédente et perçoit à ce titre six mille livres de pension annuelle. Loin est le temps des tournées en province, où il fallait improviser des scènes de fortune sur des tréteaux, comme le faisaient les bateleurs des foires.

Le texte que vous vous apprêtez à lire parle de médecine. Décidant de se venger de son mari Sganarelle qui, porté sur la bouteille, n'hésite pas à lui porter des coups, Martine est aidée par les circonstances. Elle trouve en effet l'occasion de le faire passer pour un médecin, malgré lui. Il faut dire que Lucas et Valère ont, eux aussi, encouragé Sganarelle à s'orienter vers la médecine à coups de bâton. Juste retour des choses...

La mission de Sganarelle : être assez bon médecin pour guérir Lucinde, atteinte d' « une étrange maladie ». Comme le lecteur, notre homme se prend au jeu et, l'habit faisant le médecin, revêt une « robe » pour ausculter la malade. Celle-ci est en vérité atteinte d'un mal plus profond mais moins grave : alors qu'elle est amoureuse de Léandre, Géronte, son père, ne veut pas se résoudre à cette union. Molière, qui se plaît à railler l'avarice en plus de la médecine, prend alors sa plus belle plume pour imaginer un dénouement dont nous nous garderons bien de vous dévoiler les secrets.

Contentez-vous de cela : *Le Médecin malgré lui*, c'est l'histoire d'un faux médecin donnant une fausse consultation à une fausse malade. Mais c'est déjà beaucoup.

Car si l'histoire peut vous paraître banale, voire grossière, pour la société d'alors, et pour la nôtre peut-être, elle donne à voir les médecins-charlatans et les naïfs de toutes les époques sensibles à leurs discours.

À l'époque de Molière, la pauvreté et le manque d'hygiène rendent la population vulnérable. La persistance d'épidémies comme le choléra ou la peste suscite la terreur en Europe. Ces ravages sanitaires engendrent des superstitions et des pratiques comme le « toucher royal » des écrouelles.

Il faut dire qu'en ce temps les croyances religieuses constituent bien le seul espoir en matière de santé. La formation des médecins est dérisoire et, pour pouvoir exercer, l'étudiant en médecine présente une licence qui se réduit à un entretien pendant lequel il est principalement interrogé sur sa conception de sa vie de futur médecin. La formation s'achève sur une célébration religieuse.

Dans la pratique, ce n'est guère mieux, puisqu'on ne dispose que d'instruments rudimentaires. Les remèdes de l'apothicaire, ancêtre du pharmacien, sont préparés à base de plantes plus ou moins exotiques ou d'autres drogues étranges faites de poudre de pierres précieuses, de sang, d'urine ou d'estomac d'animaux. On ne connaît ni l'anesthésie ni l'antisepsie ni les antibiotiques, ni les vaccins, et les hôpitaux, administrés par l'Église, sont des foyers d'infection.

Face à cette médecine rudimentaire, il est aisé pour celui qui trouve des oreilles crédules de se faire passer pour médecin. C'est ce que condamne Molière dans sa pièce, par le biais du personnage de Sganarelle. Sganarelle, dont le nom rappelle celui de Scaramouche, un des personnages de la commedia dell'arte, faux médecin utilisant un verbiage savant, est écouté avec la plus grande attention par les malades. Aujourd'hui, la médecine n'est plus aussi rudimentaire, mais force est de constater que les charlatans existent encore. Et que les armes utilisées par ces « médecins » sont les mêmes que celles dénoncées par Molière : un verbiage fantaisiste et une autorité fondée sur le paraître, qui rendent profondément actuel cet échange entre Géronte et Sganarelle :

GÉRONTE – [...] *Il me semble bien que vous les placez autrement qu'ils ne sont ; que le cœur est du côté gauche et le foie du côté droit.*
SGANARELLE – *Oui, cela était autrefois ainsi, mais nous avons changé tout cela*, [...]

(Acte II, scène 4)

On ne reviendra pas sur les multiples accusations d'exercice illégal de la médecine ayant terni, ces dernières années, le visage, déjà sombre, d'organisations sectaires qui fondent justement leur autorité sur un verbiage savant déjà dénoncé par Molière il y a trois siècles. Le texte de Molière semble d'autant plus actuel lorsqu'on remarque que les croyances sont précisément le ferment de ces sectes, comme si charlatanisme médical et mysticisme allaient, encore aujourd'hui, de pair.

Cette permanence de la naïveté face à l'autorité a d'ailleurs été établie avec exemplarité en 1964 par l'expérience de Milgram, du nom du psychosociologue américain qui l'a menée. L'expérience, reprise dans *I comme Icare*, film d'Henri Verneuil, consistait à étudier le processus de soumission à l'autorité. Le médecin à blouse blanche (qui n'est pas sans rappeler la « robe de médecin » de Sganarelle, acte II, scène 2) demande au sujet de prendre le rôle de professeur et de punir, à chaque erreur, un complice qui tient le rôle de l'élève. À chaque erreur, le sujet doit envoyer une décharge électrique à l'élève et augmenter celle-ci de 15 volts. L'élève est en réalité un acteur simulant la douleur provoquée par des chocs électriques fictifs. Lorsque le sujet souhaite arrêter l'expérience, le médecin pousse, à quatre reprises, le sujet à continuer. Soixante-cinq pour cent des sujets ont été jusqu'au choc maximal. C'est dire si l'autorité d'une blouse blanche a encore cours aujourd'hui.

Une expérience comme celle-ci montre bien la modernité de Molière. Dès le XVIIe siècle, le dramaturge a l'intuition que l'habit d'un médecin suffit à montrer son autorité et à enlever tout esprit critique à celui qui l'écoute.

Molière condamne d'autant plus la médecine qu'il

est touché personnellement par l'incompétence de celle-ci. La gloire qu'il connaît depuis quelques années sera en effet ternie par la mort de sa femme et d'un des comédiens de sa troupe. À cela, il faut ajouter que la vie de l'homme de théâtre se confond avec celle du malade. En 1665, Molière contracte une « fluxion de poitrine », qui se caractérise par une toux chronique et une grande maigreur. Cette maladie, qui l'emportera huit ans plus tard, lui a permis de fréquenter de près le commerce de la médecine et des médecins. Se liant d'amitié avec Mauvillain, médecin, qui prônait, contre Galien et ses adeptes, une médecine scientifique, Molière refuse pourtant ses soins et affirme bien haut ce refus, notamment dans *Le Malade imaginaire*. Il estime ainsi qu'il « n'est permis qu'aux gens vigoureux et robustes [de] porter les remèdes avec la maladie ; mais que [...] lui n'a justement de la force que pour porter son mal ».

D'aucuns ont vu, dans *Le Médecin malgré lui*, une réécriture du *Fagotier* (1661) et du *Médecin par force* – encore joué le 9 septembre 1664 au Palais-Royal. La satire est violente mais Molière n'en est pas à son coup d'essai : en moins de dix ans, il a déjà abordé le thème, de près ou de loin, dans neuf de ses pièces, parmi lesquelles *Le Médecin volant* (1659), *Dom Juan* (1665) et *L'Amour médecin* (1665).

En un mot, Molière, par ses prises de position, se fait, encore aujourd'hui, médecin du corps social.

Mais s'attaquer à la médecine, c'est s'attaquer à la religion puisque, au XVIIe siècle, nous l'avons vu, la santé est sous le joug de celle-ci. Comme tous les comédiens de son temps qui n'auraient pas renié leur métier avant leur mort, il n'aura pas droit à l'inhumation religieuse. Mais là encore, ultime pirouette de l'écrivain, Jean-Baptiste Poquelin aura le dernier mot, puisqu'il est emporté sur scène par des quintes de toux le 17 février 1673, en pleine représentation du *Malade imaginaire* : tout un symbole.

Phénomène étonnant de durée : depuis plus de trois cents ans, *Le Médecin malgré lui* (1666) déclenche le rire. Sans doute parce que, derrière l'apparente simplicité de la farce de Molière, se cachent des armes théâtrales d'une redoutable efficacité.

S'inspirant d'un théâtre italien très gestuel et fondé sur l'improvisation, appelé commedia dell'arte, mais aussi de la farce Molière développe une intrigue simple où le comique s'appuie surtout sur les gestes grossiers et la violence : aux mimiques répondent des coups de bâton, après le juron fuse l'injure :

MARTINE – *Peste du fou fieffé !*
SGANARELLE – *Peste de la c[h]arogne !*

Et Martine de conclure :

MARTINE – *Traître, insolent, trompeur, lâche, coquin, pendard, gueux, bélître, fripon, maraud, voleur !...*

(Acte I, scène 1)

Aux personnages complexes, Molière préfère de loin des personnages types, caricaturés – voire caricaturaux –, qui agissent en fonction de leur milieu social. Réduits le plus souvent à une seule caractéristique (femme battue, mari trompé, riche avare), ils permettent, à chacun de nous, de se retrouver en eux. Et, c'est bien connu, de qui rit-on le mieux sinon de nous-mêmes ?... Le rire se déclenche d'autant plus facilement que Molière présente des situations de la vie courante, comme des tromperies, des ruses, ou des scènes de ménage au comique souvent acerbe :

MARTINE – *J'ai quatre pauvres petits enfants sur les bras.*
SGANARELLE – *Mets-les à terre.*

(Acte I, scène 1)

Au-delà de ces considérations, c'est sans doute dans la descendance qu'il a engendrée que la grandeur de Molière est la plus palpable.

En 1858, Charles Gounot crée *Le Médecin malgré lui*, opéra-comique adapté de l'œuvre de Molière par Barbier et Carré.

Cette influence de Molière aurait pu s'arrêter là. Mais Mikhaïl Boulgakov s'est emparé du mythe de Molière pour écrire un roman, largement étudié de nos jours par la jeunesse : *La Vie de Monsieur Molière*. Avec Boulgakov, Molière a dépassé le genre du théâtre : celui qui a créé tant de personnages est devenu personnage à son tour, personnage romanesque.

Louis de Funès a redonné la dimension populaire du théâtre de Molière en incarnant *L'Avare* pour la télévision. Ariane Mnouchkine, fondatrice du Théâtre du Soleil a, elle aussi, porté à l'écran *Molière ou la Vie d'un honnête homme*.

Molière a continué de défrayer la chronique, jusqu'à aujourd'hui. On se souvient de la mise en scène du *Médecin malgré lui* par Dario Fo, à la Comédie-Française en 1990 ou celle du Footsbarn Travelling Theater en 1996. Là encore *Le Médecin malgré lui* fit figure de symbole puisque la pièce de Molière fut jouée pour les vingt-cinq ans de la troupe anglaise. Ce fut aussi la première fois que les comédiens de celle-ci jouèrent en français. Sur scène, seule une flasque de whisky remplaça la dive bouteille...

Opéra, roman, télévision, cinéma, *Le Médecin malgré lui* a donc réussi à s'incarner dans tous les genres. Mais encore fallait-il que la culture urbaine s'en empare pour que l'influence et la modernité de Molière soient indéniables. Ce fut chose faite en 1998, lorsque Le Venin, groupe de rap produit par la BMG, évoqua *Le Médecin malgré lui* dans la chanson « Je touche du bois », extraite de l'album *Chroniques de Mars* :

Et jusqu'ici tout va bien
Pas toaster malgré moi comme ce Médecin malgré lui
Jamais deux médecins en vaudront un averti.

On a sans doute tout dit et tout écrit sur Molière : ses influences, le sens inné de l'humour de celui qui était appelé par ses contemporains « le plus grand farceur de France ». On a sans doute tout dit de Jean-Baptiste Poquelin ; mais il ne faudrait pas, pour autant, oublier l'essentiel : le texte, le texte et son plaisir. Il est temps, enfin, de l'entrevoir.

Nicolas MILLET

LE MÉDECIN MALGRÉ LUI

COMÉDIE

PERSONNAGES

SGANARELLE, *mari de Martine*

MARTINE, *femme de Sganarelle*

M. ROBERT, *voisin de Sganarelle*

VALÈRE, *domestique de Géronte*

LUCAS, *mari de Jacqueline*

GÉRONTE, *père de Lucinde*

JACQUELINE, *nourrice chez Géronte, et femme de Lucas*

LUCINDE, *fille de Géronte*

LÉANDRE, *amant de Lucinde*

THIBAUT, *père de Perrin*

PERRIN, *fils de Thibaut, paysan*

La scène se passe, à l'acte I, à la campagne ; aux actes II et III, dans une chambre de la maison de Géronte.

ACTE I

SCÈNE 1

Sganarelle, Martine, *paraissant sur le théâtre en se querellant.*

SGANARELLE

Non, je te dis que je n'en veux rien faire, et que c'est à moi de parler et d'être le maître.

MARTINE

Et je te dis, moi, que je veux que tu vives à ma fantaisie, et que je ne me suis point mariée avec toi pour souffrir tes fredaines [1].

SGANARELLE

Ô la grande fatigue que d'avoir une femme ! et qu'Aristote a bien raison, quand il dit qu'une femme est pire qu'un démon !

MARTINE

Voyez un peu l'habile homme, avec son benêt d'Aristote !

1. Tes bêtises.

SGANARELLE

Oui, habile homme : trouve-moi un faiseur de fagots[1] qui sache, comme moi, raisonner des choses, qui ait servi six ans un fameux médecin, et qui ait su, dans son jeune âge, son rudiment par cœur.

MARTINE

Peste du fou fieffé !

SGANARELLE

Peste de la carogne !

MARTINE

Que maudit soit l'heure et le jour où je m'avisai d'aller dire oui[2] !

SGANARELLE

Que maudit soit le bec cornu de notaire qui me fit signer ma ruine !

MARTINE

C'est bien à toi, vraiment, à te plaindre de cette affaire. Devrais-tu être un seul moment sans rendre grâces au Ciel de m'avoir pour ta femme ? et méritais-tu d'épouser une personne comme moi ?

SGANARELLE

Il est vrai que tu me fis trop d'honneur, et que j'eus lieu de me louer la première nuit de nos noces ! Hé ! morbleu ! ne me fais point parler là-dessus : je dirais de certaines choses...

MARTINE

Quoi ? que dirais-tu ?

1. Ensemble de petites branches, liées par leur milieu.
2. Devant le prêtre, lors du mariage.

SGANARELLE

Baste[1], laissons là ce chapitre. Il suffit que nous savons ce que nous savons, et que tu fus bien heureuse de me trouver.

MARTINE

Qu'appelles-tu bien heureuse de te trouver ? Un homme qui me réduit à l'hôpital, un débauché, un traître, qui me mange tout ce que j'ai ?

SGANARELLE

Tu as menti ; j'en bois une partie.

MARTINE

Qui me vend, pièce à pièce, tout ce qui est dans le logis.

SGANARELLE

C'est vivre de ménage.

MARTINE

Qui m'a ôté jusqu'au lit que j'avais.

SGANARELLE

Tu t'en lèveras plus matin.

MARTINE

Enfin qui ne laisse aucun meuble dans toute la maison.

SGANARELLE

On en déménage plus aisément.

1. Ça suffit, assez ; cf. l'expression « basta ».

MARTINE

Et qui, du matin jusqu'au soir, ne fait que jouer et que boire.

SGANARELLE

C'est pour ne me point ennuyer.

MARTINE

Et que veux-tu, pendant ce temps, que je fasse avec ma famille ?

SGANARELLE

Tout ce qu'il te plaira.

MARTINE

J'ai quatre pauvres petits enfants sur les bras.

SGANARELLE

Mets-les à terre.

MARTINE

Qui me demandent à toute heure du pain.

SGANARELLE

Donne-leur le fouet. Quand j'ai bien bu et bien mangé, je veux que tout le monde soit saoul dans ma maison.

MARTINE

Et tu prétends, ivrogne, que les choses aillent toujours de même ?

SGANARELLE

Ma femme, allons tout doucement, s'il vous plaît.

MARTINE

Que j'endure éternellement tes insolences et tes débauches ?

SGANARELLE

Ne nous emportons point, ma femme.

MARTINE

Et que je ne sache pas trouver le moyen de te ranger à ton devoir ?

SGANARELLE

Ma femme, vous savez que je n'ai pas l'âme endurante[1], et que j'ai le bras assez bon.

MARTINE

Je me moque de tes menaces.

SGANARELLE

Ma petite femme, ma mie, votre peau vous démange, à votre ordinaire[2].

MARTINE

Je te montrerai bien que je ne te crains nullement.

SGANARELLE

Ma chère moitié, vous avez envie de me dérober quelque chose[3].

MARTINE

Crois-tu que je m'épouvante de tes paroles ?

1. Patiente.
2. Selon votre habitude.
3. De me pousser à vous frapper.

SGANARELLE

Doux objet de mes vœux, je vous frotterai les oreilles.

MARTINE

Ivrogne que tu es !

SGANARELLE

Je vous battrai.

MARTINE

Sac à vin !

SGANARELLE

Je vous rosserai.

MARTINE

Infâme !

SGANARELLE

Je vous étrillerai [1].

MARTINE

Traître, insolent, trompeur, lâche, coquin, pendard, gueux, bélître, fripon, maraud, voleur !...

SGANARELLE

(Il prend un bâton, et lui en donne.)
Ah ! vous en voulez donc ?

MARTINE, *criant.*

Ah ! ah ! ah ! ah !

SGANARELLE

Voilà le vrai moyen de vous apaiser.

1. Je vous battrai.

SCÈNE 2

M. Robert, Sganarelle, Martine.

M. ROBERT

Holà ! holà ! holà ! Fi ! Qu'est-ce ci ? Quelle infamie ! Peste soit le coquin, de battre ainsi sa femme !

MARTINE, *les mains sur les côtés, lui parle en le faisant reculer, et à la fin lui donne un soufflet.*

Et je veux qu'il me batte, moi.

M. ROBERT

Ah ! j'y consens de tout mon cœur.

MARTINE

De quoi vous mêlez-vous ?

M. ROBERT

J'ai tort.

MARTINE

Est-ce là votre affaire ?

M. ROBERT

Vous avez raison.

MARTINE

Voyez un peu cet impertinent, qui veut empêcher les maris de battre leurs femmes.

M. ROBERT

Je me rétracte.

MARTINE

Qu'avez-vous à voir là-dessus ?

M. ROBERT

Rien.

MARTINE

Est-ce à vous d'y mettre le nez ?

M. ROBERT

Non.

MARTINE

Mêlez-vous de vos affaires.

M. ROBERT

Je ne dis plus mot.

MARTINE

Il me plaît d'être battue.

M. ROBERT

D'accord.

MARTINE

Ce n'est pas à vos dépens.

M. ROBERT

Il est vrai.

MARTINE

Et vous êtes un sot de venir vous fourrer où vous n'avez que faire.

M. ROBERT

(Il passe ensuite vers le mari, qui pareillement lui parle toujours en le faisant reculer, le frappe

avec le même bâton et le met en fuite ; il dit à la fin :)

Compère, je vous demande pardon de tout mon cœur. Faites, rossez, battez comme il faut votre femme ; je vous aiderai si vous le voulez.

SGANARELLE

Il ne me plaît pas, moi.

M. ROBERT

Ah ! c'est une autre chose.

SGANARELLE

Je la veux battre, si je le veux ; et ne la veux pas battre, si je ne le veux pas.

M. ROBERT

Fort bien.

SGANARELLE

C'est ma femme, et non pas la vôtre.

M. ROBERT

Sans doute.

SGANARELLE

Vous n'avez rien à me commander.

M. ROBERT

D'accord.

SGANARELLE

Je n'ai que faire de votre aide.

M. ROBERT

Très volontiers.

SGANARELLE

Et vous êtes un impertinent, de vous ingérer des affaires d'autrui. Apprenez que Cicéron dit qu'entre l'arbre et le doigt il ne faut point mettre l'écorce[1].

(Il bat M. Robert et le chasse. Ensuite il revient vers sa femme, et lui dit, en lui pressant la main :)

Ô ça, faisons la paix nous deux. Touche là.

MARTINE

Oui ! après m'avoir ainsi battue !

SGANARELLE

Cela n'est rien, touche.

MARTINE

Je ne veux pas.

SGANARELLE

Eh !

MARTINE

Non.

SGANARELLE

Ma petite femme !

MARTINE

Point.

SGANARELLE

Allons, te dis-je.

1. Entre l'arbre et l'écorce, il ne faut pas mettre les doigts. Proverbe ancien.

MARTINE

Je n'en ferai rien.

SGANARELLE

Viens, viens, viens.

MARTINE

Non ; je veux être en colère.

SGANARELLE

Fi ! c'est une bagatelle. Allons, allons.

MARTINE

Laisse-moi là.

SGANARELLE

Touche, te dis-je.

MARTINE

Tu m'as trop maltraitée.

SGANARELLE

Eh bien va, je te demande pardon ; mets là ta main.

MARTINE

Je te pardonne ; *(elle dit le reste bas)* mais tu le payeras.

SGANARELLE

Tu es une folle de prendre garde à cela : ce sont petites choses qui sont de temps en temps nécessaires dans l'amitié ! et cinq ou six coups de bâton, entre gens qui s'aiment, ne font que ragaillardir[1] l'affection. Va, je m'en vais au bois, et je te promets aujourd'hui plus d'un cent de fagots.

1. Fortifier, raviver.

SCÈNE 3

MARTINE, *seule*.

Va, quelque mine que je fasse, je n'oublie pas mon ressentiment, et je brûle en moi-même de trouver les moyens de te punir des coups que tu me donnes. Je sais bien qu'une femme a toujours dans les mains de quoi se venger d'un mari ; mais c'est une punition trop délicate pour mon pendard : je veux une vengeance qui se fasse un peu mieux sentir ; et ce n'est pas contentement pour l'injure que j'ai reçue.

SCÈNE 4

Valère, Lucas, Martine.

LUCAS

Parguenne ! j'avons pris là tous deux une gueble de commission ; et je ne sais pas, moi, ce que je pensons attraper.

VALÈRE

Que veux-tu, mon pauvre nourricier [1] ? il faut bien obéir à notre maître ; et puis nous avons intérêt, l'un et l'autre, à la santé de sa fille, notre maîtresse ; et sans doute son mariage, différé par sa maladie, nous vaudrait quelque récompense. Horace, qui est libéral, a bonne

1. Lucas est le mari de Jacqueline, qui est la nourrice.

part aux prétentions qu'on peut avoir sur sa personne ; et quoiqu'elle ait fait voir de l'amitié pour un certain Léandre, tu sais bien que son père n'a jamais voulu consentir à le recevoir pour son gendre.

MARTINE, *rêvant à part elle.*

Ne puis-je point trouver quelque invention pour me venger ?

LUCAS

Mais quelle fantaisie s'est-il boutée[1] là dans la tête, puisque les médecins y avont tous pardu leur latin ?

VALÈRE

On trouve quelquefois, à force de chercher, ce qu'on ne trouve pas d'abord ; et souvent, en de simples lieux...

MARTINE

Oui, il faut que je m'en venge à quelque prix que ce soit : ces coups de bâton me reviennent au cœur, je ne les saurais digérer et... *(Elle dit tout ceci, en rêvant, de sorte que, ne prenant pas garde à ces deux hommes, elle les heurte en se retournant, et leur dit :)* Ah ! Messieurs, je vous demande pardon ; je ne vous voyais pas et cherchais dans ma tête quelque chose qui m'embarrasse.

VALÈRE

Chacun a ses soins[2] dans le monde, et nous cherchons aussi ce que nous voudrions bien trouver.

MARTINE

Serait-ce quelque chose où je vous puisse aider ?

1. Mettre, placer.
2. Soucis.

VALÈRE

Cela se pourrait faire ; et nous tâchons de rencontrer quelque habile[1] homme, quelque médecin particulier, qui pût donner quelque soulagement à la fille de notre maître, attaquée d'une maladie qui lui a ôté tout d'un coup l'usage de la langue. Plusieurs médecins ont déjà épuisé toute leur science après elle ; mais on trouve parfois des gens avec des secrets admirables, de certains remèdes particuliers, qui font le plus souvent ce que les autres n'ont su faire, et c'est là ce que nous cherchons.

MARTINE. *(Elle dit ces deux premières lignes bas.)*

Ah ! que le Ciel m'inspire une admirable invention pour me venger de mon pendard ! *(Haut.)* Vous ne pouviez jamais vous mieux adresser pour rencontrer ce que vous cherchez ; et nous avons ici un homme, le plus merveilleux homme du monde, pour les maladies désespérées.

VALÈRE

Et de grâce, où pouvons-nous le rencontrer ?

MARTINE

Vous le trouverez maintenant vers ce petit lieu que voilà, qui s'amuse à couper du bois.

LUCAS

Un médecin qui coupe du bois !

VALÈRE

Qui s'amuse à cueillir des simples[2], voulez-vous dire ?

1. Extraordinaire, excellent.
2. Plantes que l'on utilisait en médecine.

MARTINE

Non : c'est un homme extraordinaire qui se plaît à cela, fantasque, bizarre, quinteux, et que vous ne prendriez jamais pour ce qu'il est. Il va vêtu d'une façon extravagante, affecte quelquefois de paraître ignorant, tient sa science renfermée, et ne fuit rien tant tous les jours que d'exercer les merveilleux talents qu'il a eus du Ciel pour la médecine.

VALÈRE

C'est une chose admirable, que tous les grands hommes ont toujours du caprice, quelque petit grain de folie mêlé à leur science.

MARTINE

La folie de celui-ci est plus grande qu'on ne peut croire, car elle va parfois jusqu'à vouloir être battu pour demeurer d'accord de sa capacité[1], et je vous donne avis que vous n'en viendrez point à bout, qu'il n'avouera jamais qu'il est médecin, s'il se le met en fantaisie, que vous ne preniez chacun un bâton, et ne le réduisiez, à force de coups, à vous confesser à la fin ce qu'il vous cachera d'abord. C'est ainsi que nous en usons quand nous avons besoin de lui.

VALÈRE

Voilà une étrange folie !

MARTINE

Il est vrai ; mais, après cela, vous verrez qu'il fait des merveilles.

VALÈRE

Comment s'appelle-t-il ?

1. Il faut parfois le battre pour qu'il accepte de montrer et d'exercer ses talents de médecin.

MARTINE

Il s'appelle Sganarelle ; mais il est aisé à connaître : c'est un homme qui a une large barbe noire, et qui porte une fraise, avec un habit jaune et vert.

LUCAS

Un habit jaune et vart ! C'est donc le médecin des paroquets ?

VALÈRE

Mais est-il bien vrai qu'il soit si habile que vous le dites ?

MARTINE

Comment ! C'est un homme qui fait des miracles. Il y a six mois qu'une femme fut abandonnée de tous les autres médecins : on la tenait morte, il y avait déjà six heures, et l'on se disposait à l'ensevelir, lorsqu'on y fit venir de force l'homme dont nous parlons. Il lui mit, l'ayant vue, une petite goutte de je ne sais quoi dans la bouche, et, dans le même instant, elle se leva de son lit, et se mit aussitôt à se promener dans sa chambre, comme si de rien n'eût été.

LUCAS

Ah !

VALÈRE

Il fallait que ce fût quelque goutte d'or potable.

MARTINE

Cela pourrait bien être. Il n'y a pas trois semaines encore qu'un jeune enfant de douze ans tomba du haut du clocher en bas, et se brisa, sur le pavé, la tête, les bras et les jambes. On n'y eut pas plus tôt amené notre homme, qu'il le frotta par tout le corps d'un certain onguent qu'il sait faire ; et l'enfant aussitôt se leva sur ses pieds, et courut jouer à la fossette [1].

LUCAS

Ah !

VALÈRE

Il faut que cet homme-là ait la médecine universelle.

MARTINE

Qui en doute ?

LUCAS

Testigué ! velà justement l'homme qu'il nous faut. Allons vite le charcher.

VALÈRE

Nous vous remercions du plaisir que vous nous faites.

MARTINE

Mais souvenez-vous bien au moins de l'avertissement que je vous ai donné.

LUCAS

Eh ! morguenne ! laissez-nous faire : s'il ne tient qu'à battre, la vache est à nous [2].

VALÈRE, *à Lucas.*

Nous sommes bien heureux d'avoir fait cette rencontre ; et j'en conçois, pour moi, la meilleure espérance du monde.

1. Jeu de billes.
2. Dicton rural : nous avons remporté l'affaire.

SCÈNE 5

Sganarelle, Valère, Lucas.

SGANARELLE, *entre sur le théâtre en chantant et tenant une bouteille.*

La, la, la.

VALÈRE

J'entends quelqu'un qui chante, et qui coupe du bois.

SGANARELLE

La, la, la... Ma foi, c'est assez travaillé pour un coup. Prenons un peu d'haleine. *(Il boit, et dit après avoir bu :)* Voilà du bois qui est salé [1] comme tous les diables.

Qu'ils sont doux,
Bouteille jolie,
Qu'ils sont doux,
Vos petits glouglous !
Mais mon sort ferait bien des jaloux,
Si vous étiez toujours remplie.
Ah ! bouteille, ma mie,
Pourquoi vous vuidez-vous ?

Allons, morbleu ! il ne faut point engendrer de mélancolie.

VALÈRE, *bas à Lucas.*

Le voilà lui-même.

1. Couper du bois donne soif, comme les nourritures salées.

LUCAS, *bas à Valère.*

Je pense que vous dites vrai, et que j'avons bouté le nez dessus.

VALÈRE

Voyons de près.

SGANARELLE,
les apercevant, les regarde en se tournant vers l'un et puis vers l'autre, et abaissant sa voix, dit en embrassant sa bouteille.

Ah ! ma petite friponne ! que je t'aime, mon petit bouchon ! *(Il chante.)*
... Mon sort... ferait... bien des... jaloux,
Si...
Que diable ! à qui en veulent ces gens-là ?

VALÈRE, *à Lucas.*

C'est lui assurément.

LUCAS, *à Valère.*

Le velà tout craché comme on nous l'a défiguré [1].

SGANARELLE, *à part.*

(Ici, il pose sa bouteille à terre et, Valère se baissant pour le saluer, comme il croit que c'est à dessein de la prendre, il la met de l'autre côté ; ensuite de quoi, Lucas faisant la même chose, il la reprend et la tient contre son estomac, avec divers gestes qui font un grand jeu de théâtre.)

1. Comme on nous l'a figuré, peint, décrit.

Ils consultent en me regardant. Quel dessein[1] auraient-ils ?

VALÈRE

Monsieur, n'est-ce pas vous qui vous appelez Sganarelle ?

SGANARELLE

Eh quoi ?

VALÈRE

Je vous demande si ce n'est pas vous qui se nomme Sganarelle.

SGANARELLE, *se tournant vers Valère, puis vers Lucas.*

Oui et non, selon ce que vous lui voulez.

VALÈRE

Nous ne voulons que lui faire toutes les civilités que nous pourrons.

SGANARELLE

En ce cas, c'est moi qui se nomme Sganarelle.

VALÈRE

Monsieur, nous sommes ravis de vous voir. On nous a adressés à vous pour ce que nous cherchons ; et nous venons implorer votre aide, dont nous avons besoin.

SGANARELLE

Si c'est quelque chose, Messieurs, qui dépende de mon petit négoce, je suis tout prêt à vous rendre service.

1. Quelle intention.

VALÈRE

Monsieur, c'est trop de grâce, que vous nous faites. Mais, Monsieur, couvrez-vous, s'il vous plaît ; le soleil pourrait vous incommoder.

LUCAS

Monsieur, boutez dessus.

SGANARELLE, *bas.*

Voici des gens bien pleins de cérémonie.

(Il se couvre.)

VALÈRE

Monsieur, il ne faut pas trouver étrange que nous venions à vous : les habiles [1] gens sont toujours recherchés, et nous sommes instruits de votre capacité.

SGANARELLE

Il est vrai, Messieurs, que je suis le premier homme du monde pour faire des fagots.

VALÈRE

Ah ! Monsieur...

SGANARELLE

Je n'y épargne aucune chose, et les fais d'une façon qu'il n'y a rien à dire.

VALÈRE

Monsieur, ce n'est pas cela dont il est question.

SGANARELLE

Mais aussi je les vends cent dix sols le cent.

1. Compétents.

VALÈRE

Ne parlons point de cela, s'il vous plaît.

SGANARELLE

Je vous promets que je ne saurais les donner à moins.

VALÈRE

Monsieur, nous savons les choses.

SGANARELLE

Si vous savez les choses, vous savez que je les vends cela.

VALÈRE

Monsieur, c'est se moquer que...

SGANARELLE

Je ne me moque point, je n'en puis rien rabattre [1].

VALÈRE

Parlons d'autre façon, de grâce.

SGANARELLE

Vous en pourrez trouver autre part à moins : il y a fagots et fagots ; mais pour ceux que je fais...

VALÈRE

Eh ! Monsieur, laissons là ce discours.

SGANARELLE

Je vous jure que vous ne les auriez pas, s'il s'en fallait un double.

VALÈRE

Eh fi !

1. Rabattre le prix : le baisser.

SGANARELLE

Non, en conscience, vous en payerez cela. Je vous parle sincèrement, et ne suis pas homme à surfaire.

VALÈRE

Faut-il, Monsieur, qu'une personne comme vous s'amuse à ces grossières feintes ? s'abaisse à parler de la sorte ? qu'un homme si savant, un fameux médecin, comme vous êtes, veuille se déguiser aux yeux du monde, et tenir enterrés les beaux talents qu'il a ?

SGANARELLE, *à part.*

Il est fou.

VALÈRE

De grâce, Monsieur, ne dissimulez point avec nous.

SGANARELLE

Comment ?

LUCAS

Tout ce tripotage ne sart de rian ; je savons cen que je savons.

SGANARELLE

Quoi donc ? que me voulez-vous dire ? Pour qui me prenez-vous ?

VALÈRE

Pour ce que vous êtes, pour un grand médecin.

SGANARELLE

Médecin vous-même : je ne le suis point, et ne l'ai jamais été.

VALÈRE, *bas.*

Voilà sa folie qui le tient. *(Haut.)* Monsieur, ne

veuillez point nier les choses davantage ; et n'en venons point, s'il vous plaît, à de fâcheuses extrémités.

SGANARELLE

À quoi donc ?

VALÈRE

À de certaines choses dont nous serions marris[1].

SGANARELLE

Parbleu ! venez-en à tout ce qu'il vous plaira ; je ne suis point médecin, et ne sais ce que vous me voulez dire.

VALÈRE, *bas.*

Je vois bien qu'il faut se servir du remède. *(Haut.)* Monsieur, encore un coup, je vous prie d'avouer ce que vous êtes.

LUCAS

Et testigué ! ne lantiponez[2] point davantage, et confessez à la franquette[3] que v'êtes médecin.

SGANARELLE, *à part.*

J'enrage.

VALÈRE

À quoi bon nier ce qu'on sait ?

LUCAS

Pourquoi toutes ces fraimes-là ? à quoi est-ce que ça vous sart ?

1. Contrits, fâchés.
2. N'hésitez pas.
3. Franchement, tout bonnement.

SGANARELLE

Messieurs, en un mot autant qu'en deux mille, je vous dis que je ne suis point médecin.

VALÈRE

Vous n'êtes point médecin ?

SGANARELLE

Non.

LUCAS

V'n'êtes pas médecin ?

SGANARELLE

Non, vous dis-je.

VALÈRE

Puisque vous le voulez, il faut s'y résoudre.

(Ils prennent un bâton et le frappent.)

SGANARELLE

Ah ! ah ! ah ! Messieurs, je suis tout ce qu'il vous plaira.

VALÈRE

Pourquoi, Monsieur, nous obligez-vous à cette violence ?

LUCAS

À quoi bon nous bailler la peine de vous battre ?

VALÈRE

Je vous assure que j'en ai tous les regrets du monde.

LUCAS

Par ma figué ! j'en sis fâché, franchement.

SGANARELLE

Que diable est-ce ci, Messieurs ? De grâce, est-ce pour rire, ou si tous deux vous extravaguez, de vouloir que je sois médecin ?

VALÈRE

Quoi ? vous ne vous rendez pas encore, et vous vous défendez d'être médecin ?

SGANARELLE

Diable emporte si je le suis !

LUCAS

Il n'est pas vrai qu'ous sayez médecin ?

SGANARELLE

Non, la peste m'étouffe ! *(Là, ils recommencent de le battre.)* Ah ! ah ! Eh bien, Messieurs, oui, puisque vous le voulez, je suis médecin, je suis médecin ; apothicaire encore, si vous le trouvez bon. J'aime mieux consentir à tout que de me faire assommer.

VALÈRE

Ah ! voilà qui va bien, Monsieur : je suis ravi de vous voir raisonnable.

LUCAS

Vous me boutez la joie au cœur, quand je vous vois parler comme ça.

VALÈRE

Je vous demande pardon de toute mon âme.

LUCAS

Je vous demandons excuse de la libarté que j'avons prise.

SGANARELLE, *à part.*

Ouais ! serait-ce bien moi qui me tromperais, et serais-je devenu médecin sans m'en être aperçu ?

VALÈRE

Monsieur, vous ne vous repentirez pas de nous montrer ce que vous êtes ; et vous verrez assurément que vous en serez satisfait.

SGANARELLE

Mais, Messieurs, dites-moi, ne vous trompez-vous point vous-mêmes ? Est-il bien assuré que je sois médecin ?

LUCAS

Oui, par ma figué !

SGANARELLE

Tout de bon ?

VALÈRE

Sans doute.

SGANARELLE

Diable emporte si je le savais !

VALÈRE

Comment ! vous êtes le plus habile médecin du monde.

SGANARELLE

Ah ! ah !

LUCAS

Un médecin qui a gari je ne sais combien de maladies.

SGANARELLE

Tudieu !

VALÈRE

Une femme était tenue pour morte il y avait six heures ; elle était prête à ensevelir, lorsque, avec une goutte de quelque chose, vous la fîtes revenir et marcher d'abord par la chambre.

SGANARELLE

Peste !

LUCAS

Un petit enfant de douze ans se laissit choir du haut d'un clocher, de quoi il eut la tête, les jambes et les bras cassés ; et vous, avec je ne sais quel onguent, vous fîtes qu'aussitôt il se relevit sur ses pieds, et s'en fut jouer à la fossette.

SGANARELLE

Diantre !

VALÈRE

Enfin, Monsieur, vous aurez contentement avec nous ; et vous gagnerez ce que vous voudrez, en vous laissant conduire où nous prétendons vous mener.

SGANARELLE

Je gagnerai ce que je voudrai ?

VALÈRE

Oui.

SGANARELLE

Ah ! je suis médecin, sans contredit. Je l'avais oublié ; mais je m'en ressouviens. De quoi est-il question ? Où faut-il se transporter ?

VALÈRE

Nous vous conduirons. Il est question d'aller voir une fille qui a perdu la parole.

SGANARELLE

Ma foi ! je ne l'ai pas trouvée.

VALÈRE, *bas, à Lucas.*

Il aime à rire. *(À Sganarelle.)* Allons, Monsieur.

SGANARELLE

Sans une robe de médecin ?

VALÈRE

Nous en prendrons une.

SGANARELLE, *présentant sa bouteille à Valère.*

Tenez cela, vous : voilà où je mets mes juleps [1]. *(Puis se tournant vers Lucas en crachant.)* Vous, marchez là-dessus, par ordonnance du médecin.

LUCAS

Palsanguenne ! velà un médecin qui me plaît ; je pense qu'il réussira, car il est bouffon.

1. Boisson sucrée, sirop dans lequel on versait divers médicaments.

ACTE II

SCÈNE 1

Géronte, Valère, Lucas, Jacqueline.

VALÈRE

Oui, Monsieur, je crois que vous serez satisfait ; et nous vous avons amené le plus grand médecin du monde.

LUCAS

Oh ! morguenne ! il faut tirer l'échelle après ceti-là, et tous les autres ne sont pas daignes de li déchausser ses souillez.

VALÈRE

C'est un homme qui a fait des cures [1] merveilleuses.

LUCAS

Qui a gari des gens qui êtiant morts.

VALÈRE

Il est un peu capricieux, comme je vous ai dit ; et parfois il a des moments où son esprit s'échappe et ne paraît pas ce qu'il est.

1. Guérisons.

LUCAS

Oui, il aime à bouffonner ; et l'an dirait par fois, ne v's en déplaise, qu'il a quelque petit coup de hache à la tête.

VALÈRE

Mais, dans le fond, il est toute science, et bien souvent il dit des choses tout à fait relevées.

LUCAS

Quand il s'y boute, il parle tout fin drait comme s'il lisait dans un livre.

VALÈRE

Sa réputation s'est déjà répandue ici, et tout le monde vient à lui.

GÉRONTE

Je meurs d'envie de le voir ; faites-le-moi vite venir.

VALÈRE

Je le vais quérir.

JACQUELINE

Par ma fi ! Monsieu, ceti-ci fera justement ce qu'ant fait les autres. Je pense que ce sera queussi queumi ; et la meilleure médeçaine que l'an pourrait bailler à votre fille, ce serait, selon moi, un biau et bon mari, pour qui elle eût de l'amiquié.

GÉRONTE

Ouais ! Nourrice, ma mie, vous vous mêlez de bien des choses.

LUCAS

Taisez-vous, notre ménagère Jaquelaine : ce n'est pas à vous à bouter là votte nez.

JACQUELINE

Je vous dis et vous douze que tous ces médecins n'y feront rian que de l'iau claire ; que votre fille a besoin d'autre chose que de ribarbe [1] et de séné, et qu'un mari est une emplâtre [2] qui garit tous les maux des filles.

GÉRONTE

Est-elle en état maintenant qu'on s'en voulût charger, avec l'infirmité qu'elle a ? Et lorsque j'ai été dans le dessein de la marier, ne s'est-elle pas opposée à mes volontés ?

JACQUELINE

Je le crois bian ; vous li vouilliez bailler [3] cun homme qu'alle n'aime point. Que ne preniais-vous ce Monsieu Liandre, qui li touchait au cœur ? Alle aurait été fort obéissante ; et je m'en vas gager [4] qu'il la prendrait, li, comme alle est, si vous la li vouillais donner.

GÉRONTE

Ce Léandre n'est pas ce qu'il lui faut : il n'a pas du bien comme l'autre.

JACQUELINE

Il a un oncle qui est si riche, dont il est hériquié.

GÉRONTE

Tous ces biens à venir me semblent autant de chansons. Il n'est rien tel que ce qu'on tient ; et l'on court grand risque de s'abuser, lorsque l'on compte sur le

1. Rhubarbe.
2. Préparation que l'on applique sur la peau pour soigner certains maux.
3. Donner.
4. Parier.

bien qu'un autre vous garde. La mort n'a pas toujours les oreilles ouvertes aux vœux et aux prières de Messieurs les héritiers ; et l'on a le temps d'avoir les dents longues lorsqu'on attend, pour vivre, le trépas de quelqu'un.

JACQUELINE

Enfin j'ai toujours ouï dire qu'en mariage, comme ailleurs, contentement passe richesse. Les bères et les mères ant cette maudite couteume de demander toujours : « Qu'a-t-il ? » et : « Qu'a-t-elle ? » et le compère Biarre a marié sa fille Simonette au gros Thomas pour un quarquié de vaigne[1] qu'il avait davantage que le jeune Robin, où alle avait bouté son amiquié ; et velà que la pauvre creiature en est devenue jaune comme un coing, et n'a point profité tout depuis ce temps-là. C'est un bel exemple pour vous, Monsieu. On n'a que son plaisir en ce monde ; et j'aimerais mieux bailler à ma fille un bon mari qui li fût agréable, que toutes les rentes de la Biausse[2].

GÉRONTE

Peste ! Madame la Nourrice, comme vous dégoisez ! Taisez-vous, je vous prie ; vous prenez trop de soin[3], et vous échauffez votre lait.

LUCAS

(En disant ceci, il frappe sur la poitrine de Géronte.)

Morgué ! tais-toi, t'es cune impartinante. Monsieu n'a que faire de tes discours, et il sait ce qu'il a à faire.

1. Vigne.
2. La Beauce.
3. Mot archaïque, entre aujourd'hui dans le registre familier ; vous parlez d'abondance, trop.

Mêle-toi de donner à téter à ton enfant, sans tant faire la raisonneuse. Monsieu est le père de sa fille, et il est bon et sage pour voir ce qu'il li faut.

GÉRONTE

Tout doux ! oh ! tout doux !

LUCAS, *frappant encore sur l'épaule de Géronte.*

Monsieu, je veux un peu la mortifier [1], et li apprendre le respect qu'alle vous doit.

GÉRONTE

Oui ; mais ces gestes ne sont pas nécessaires.

SCÈNE 2

Valère, Sganarelle, Géronte, Lucas, Jacqueline.

VALÈRE

Monsieur, préparez-vous. Voici notre médecin qui entre.

GÉRONTE, *à Sganarelle.*

Monsieur, je suis ravi de vous voir chez moi, et nous avons grand besoin de vous.

SGANARELLE,
en robe de médecin, avec un chapeau des plus pointus.

Hippocrate [2] dit... que nous nous couvrions tous deux.

1. La frapper.
2. Hippocrate (460 av. J.-C. à 377 av. J.-C.) a écrit plusieurs traités de médecine, et aussi le texte du serment que prêtaient les futurs médecins, dont la tradition s'est perpétuée jusqu'à nos jours.

GÉRONTE

Hippocrate dit cela ?

SGANARELLE

Oui.

GÉRONTE

Dans quel chapitre, s'il vous plaît ?

SGANARELLE

Dans son chapitre des chapeaux.

GÉRONTE

Puisque Hippocrate le dit, il le faut faire.

SGANARELLE

Monsieur le Médecin, ayant appris les merveilleuses choses...

GÉRONTE

À qui parlez-vous, de grâce ?

SGANARELLE

À vous.

GÉRONTE

Je ne suis pas médecin.

SGANARELLE

Vous n'êtes pas médecin ?

GÉRONTE

Non, vraiment.

SGANARELLE.

(Il prend ici un bâton, et le bat comme on l'a battu.)

Tout de bon ?

GÉRONTE

Tout de bon. Ah ! ah ! ah !

SGANARELLE

Vous êtes médecin maintenant : je n'ai jamais eu d'autres licences [1].

GÉRONTE, *à Valère.*

Quel diable d'homme m'avez-vous là amené ?

VALÈRE

Je vous ai bien dit que c'était un médecin goguenard.

GÉRONTE

Oui ; mais je l'envoirais promener avec ses goguenarderies.

LUCAS

Ne prenez pas garde à ça, Monsieu ; ce n'est que pour rire.

GÉRONTE

Cette raillerie ne me plaît pas.

SGANARELLE

Monsieur, je vous demande pardon de la liberté que j'ai prise.

GÉRONTE

Monsieur, je suis votre serviteur.

SGANARELLE

Je suis fâché...

GÉRONTE

Cela n'est rien.

1. Titre obtenu à l'université.

SGANARELLE

Des coups de bâton...

GÉRONTE

Il n'y a pas de mal.

SGANARELLE

Que j'ai eu l'honneur de vous donner.

GÉRONTE

Ne parlons plus de cela. Monsieur, j'ai une fille qui est tombée dans une étrange maladie.

SGANARELLE

Je suis ravi, Monsieur, que votre fille ait besoin de moi ; et je souhaiterais de tout mon cœur que vous en eussiez besoin aussi, vous et toute votre famille, pour vous témoigner l'envie que j'ai de vous servir.

GÉRONTE

Je vous suis obligé de ces sentiments.

SGANARELLE

Je vous assure que c'est du meilleur de mon âme que je vous parle.

GÉRONTE

C'est trop d'honneur que vous me faites.

SGANARELLE

Comment s'appelle votre fille ?

GÉRONTE

Lucinde.

SGANARELLE

Lucinde ! Ah ! beau nom à médicamenter ! Lucinde !

GÉRONTE

Je m'en vais voir un peu ce qu'elle fait.

SGANARELLE

Qui est cette grande femme-là ?

GÉRONTE

C'est la nourrice d'un petit enfant que j'ai.

SGANARELLE, *à part.*

Peste ! le joli meuble que voilà ! *(Haut.)* Ah ! Nourrice, charmante Nourrice, ma médecine est la très humble esclave de votre nourricerie [1], et je voudrais bien être le petit poupon fortuné [2] qui tétât le lait *(il lui porte la main sur le sein)* de vos bonnes grâces. Tous mes remèdes, toute ma science, toute ma capacité est à votre service, et...

LUCAS

Avec votte parmission, Monsieu le Médecin, laissez là ma femme, je vous prie.

SGANARELLE

Quoi ? est-elle votre femme ?

LUCAS

Oui.

1. Mot forgé sur « nourrice », comme l'est « votre seigneurie » sur le mot « seigneur ».
2. Chanceux.

SGANARELLE

(Il fait semblant d'embrasser Lucas et, se tournant du côté de la Nourrice, il l'embrasse.)

Ah ! vraiment, je ne savais pas cela, et je m'en réjouis pour l'amour de l'un et de l'autre.

LUCAS, *en le tirant.*

Tout doucement, s'il vous plaît.

SGANARELLE

Je vous assure que je suis ravi que vous soyez unis ensemble. Je la félicite d'avoir *(il fait encore semblant d'embrasser Lucas et, passant dessous ses bras, se jette au col de sa femme)* un mari comme vous ; et je vous félicite, vous, d'avoir une femme si belle, si sage, et si bien faite comme elle est.

LUCAS, *en le tirant encore.*

Eh ! testigué ! point tant de compliment, je vous supplie.

SGANARELLE

Ne voulez-vous pas que je me réjouisse avec vous d'un si bel assemblage ?

LUCAS

Avec moi, tant qu'il vous plaira ; mais avec ma femme, trêve de sarimonie.

SGANARELLE

Je prends part également au bonheur de tous deux ; et *(il continue le même jeu)* si je vous embrasse pour vous en témoigner ma joie, je l'embrasse de même pour lui en témoigner aussi.

LUCAS, *en le tirant derechef.*

Ah ! vartigué, Monsieu le Médecin, que de lantiponages[1] !

SCÈNE 3

Sganarelle, Géronte, Lucas, Jacqueline.

GÉRONTE

Monsieur, voici tout à l'heure* ma fille qu'on va vous amener.

SGANARELLE

Je l'attends, Monsieur, avec toute la médecine.

GÉRONTE

Où est-elle ?

SGANARELLE, *se touchant le front.*

Là-dedans.

GÉRONTE

Fort bien.

SGANARELLE,

en voulant toucher les tétons de la Nourrice.

Mais comme je m'intéresse à toute votre famille, il faut que j'essaye un peu le lait de votre nourrice et que je visite son sein.

LUCAS, *le tirant et lui faisant faire la pirouette.*

Nanin, nanin ; je n'avons que faire de ça.

1. Hésitations, atermoiements.

SGANARELLE

C'est l'office du médecin de voir les tétons des nourrices.

LUCAS

Il gnia office qui quienne, je sis votte sarviteur.

SGANARELLE

As-tu bien la hardiesse de t'opposer au médecin ? Hors de là !

LUCAS

Je me moque de ça.

SGANARELLE, *en le regardant de travers.*

Je te donnerai la fièvre.

JACQUELINE, *prenant Lucas par le bras et lui faisant aussi faire la pirouette.*

Ôte-toi de là aussi ; est-ce que je ne sis pas assez grande pour me défendre moi-même, s'il me fait quelque chose qui ne soit pas à faire ?

LUCAS

Je ne veux pas qu'il te tâte, moi.

SGANARELLE

Fi, le vilain, qui est jaloux de sa femme !

GÉRONTE

Voici ma fille.

SCÈNE 4

Lucinde, Valère, Géronte, Lucas,
Sganarelle, Jacqueline.

SGANARELLE

Est-ce là la malade ?

GÉRONTE

Oui, je n'ai qu'elle de fille ; et j'aurais tous les regrets du monde si elle venait à mourir.

SGANARELLE

Qu'elle s'en garde bien ! il ne faut pas qu'elle meure sans l'ordonnance du médecin.

GÉRONTE

Allons, un siège.

SGANARELLE, *assis entre Géronte et Lucinde.*

Voilà une malade qui n'est pas tant dégoûtante, et je tiens qu'un homme bien sain s'en accommoderait assez.

GÉRONTE

Vous l'avez fait rire, Monsieur.

SGANARELLE

Tant mieux. Lorsque le médecin fait rire le malade, c'est le meilleur signe du monde. *(À Lucinde.)* Eh bien ! de quoi est-il question ? qu'avez-vous ? quel est le mal que vous sentez ?

LUCINDE *répond par signes, en portant sa main à sa bouche, à sa tête et sous son menton.*

Han, hi, hom, han.

SGANARELLE

Eh ! que dites-vous ?

LUCINDE *continue les mêmes gestes.*

Han, hi, hom, han, han, hi, hom.

SGANARELLE

Quoi ?

LUCINDE

Han, hi, hom.

SGANARELLE, *la contrefaisant.*

Han, hi, hom, han, ha. Je ne vous entends[1] point. Quel diable de langage est-ce là ?

GÉRONTE

Monsieur, c'est là sa maladie. Elle est devenue muette, sans que jusques ici on en ait pu savoir la cause ; et c'est un accident qui a fait reculer son mariage.

SGANARELLE

Et pourquoi ?

GÉRONTE

Celui qu'elle doit épouser veut attendre sa guérison pour conclure les choses.

1. Je ne vous comprends pas.

SGANARELLE

Et qui est ce sot-là qui ne veut pas que sa femme soit muette ? Plût à Dieu que la mienne eût cette maladie ! je me garderais bien de la vouloir guérir.

GÉRONTE

Enfin, Monsieur, nous vous prions d'employer tous vos soins pour la soulager de son mal.

SGANARELLE

Ah ! ne vous mettez pas en peine. Dites-moi un peu, ce mal l'oppresse-t-il beaucoup ?

GÉRONTE

Oui, Monsieur.

SGANARELLE

Tant mieux. Sent-elle de grandes douleurs ?

GÉRONTE

Fort grandes.

SGANARELLE

C'est fort bien fait. Va-t-elle où vous savez[1] ?

GÉRONTE

Oui.

SGANARELLE

Copieusement ?

GÉRONTE

Je n'entends rien à cela.

SGANARELLE

La matière est-elle louable ?

1. Aux toilettes.

GÉRONTE

Je ne me connais pas à ces choses.

SGANARELLE, *se tournant vers la malade.*

Donnez-moi votre bras. *(À Géronte.)* Voilà un pouls qui marque que votre fille est muette.

GÉRONTE

Eh oui, Monsieur, c'est là son mal ; vous l'avez trouvé tout du premier coup.

SGANARELLE

Ah ! ah !

JACQUELINE

Voyez comme il a deviné sa maladie !

SGANARELLE

Nous autres grands médecins, nous connaissons d'abord les choses. Un ignorant aurait été embarrassé, et vous eût été dire : « C'est ceci, c'est cela » ; mais moi, je touche au but du premier coup, et je vous apprends que votre fille est muette.

GÉRONTE

Oui ; mais je voudrais bien que vous pussiez dire d'où cela vient.

SGANARELLE

Il n'est rien de plus aisé : cela vient de ce qu'elle a perdu la parole.

GÉRONTE

Fort bien ; mais la cause, s'il vous plaît, qui fait qu'elle a perdu la parole ?

SGANARELLE

Tous nos meilleurs auteurs vous diront que c'est l'empêchement de l'action de sa langue.

GÉRONTE

Mais encore, vos sentiments sur cet empêchement de l'action de sa langue ?

SGANARELLE

Aristote là-dessus dit... de fort belles choses.

GÉRONTE

Je le crois.

SGANARELLE

Ah ! c'était un grand homme !

GÉRONTE

Sans doute.

SGANARELLE, *levant son bras depuis le coude.*

Grand homme tout à fait : un homme qui était plus grand que moi de tout cela. Pour revenir donc à notre raisonnement, je tiens [1] que cet empêchement de l'action de sa langue est causé par de certaines humeurs [2], qu'entre nous autres savants nous appelons humeurs peccantes ; peccantes [3], c'est-à-dire... humeurs peccantes ; d'autant que les vapeurs formées par les exhalaisons des influences qui s'élèvent dans la région des maladies, venant... pour ainsi dire... à... Entendez-vous le latin ?

1. Je soutiens, j'affirme.
2. Liquides organiques du corps (théorie d'Hippocrate ; 4 humeurs : bile, bile noire, flegme, sang).
3. Mauvaises.

GÉRONTE

En aucune façon.

SGANARELLE, *se levant avec étonnement.*

Vous n'entendez point le latin !

GÉRONTE

Non.

SGANARELLE, *en faisant diverses plaisantes postures.*

Cabricias arci thuram, catalamus, singulariter, nominativo haec Musa la Muse, *bonus, bona, bonum. Deus sanctus, estne oratio latinas ? Etiam,* oui. *Quare,* pourquoi ? *Quia substantivo et adjectivum concordat in generi, numerum, et casus*[1].

GÉRONTE

Ah ! que n'ai-je étudié ?

JACQUELINE

L'habile homme que velà !

LUCAS

Oui, ça est si biau que je n'y entends goutte.

SGANARELLE

Or, ces vapeurs dont je vous parle, venant à passer du côté gauche, où est le foie, au côté droit, où est le cœur, il se trouve que le poumon, que nous appelons en latin *armyan*, ayant communication avec le cerveau, que nous nommons en grec *nasmus*, par le moyen de

1. Mélange de mots latins et de latin de cuisine, sans rapport avec le contexte.

la veine cave, que nous appelons en hébreu *cubile*, rencontre en son chemin lesdites vapeurs, qui remplissent les ventricules de l'omoplate ; et parce que lesdites vapeurs... comprenez bien ce raisonnement, je vous prie ; et parce que lesdites vapeurs ont une certaine malignité[1]... Écoutez bien ceci, je vous conjure.

GÉRONTE

Oui.

SGANARELLE

Ont une certaine malignité, qui est causée... Soyez attentif, s'il vous plaît.

GÉRONTE

Je le suis.

SGANARELLE

Qui est causée par l'âcreté des humeurs engendrées dans la concavité du diaphragme, il arrive que ces vapeurs... *Ossabandus, nequeys, nequer, potarinum, quipsa milus*. Voilà justement ce qui fait que votre fille est muette.

JACQUELINE

Ah ! que ça est bian dit, notte homme !

LUCAS

Que n'ai-je la langue aussi bian pendue ?

GÉRONTE

On ne peut pas mieux raisonner, sans doute. Il n'y a qu'une seule chose qui m'a choqué ; c'est l'endroit du foie et du cœur. Il me semble que vous les placez

1. Elles ont des propriétés nocives.

autrement qu'ils ne sont ; que le cœur est du côté gauche, et le foie du côté droit.

SGANARELLE

Oui, cela était autrefois ainsi ; mais nous avons changé tout cela, et nous faisons maintenant la médecine d'une méthode toute nouvelle.

GÉRONTE

C'est ce que je ne savais pas, et je vous demande pardon de mon ignorance.

SGANARELLE

Il n'y a point de mal, et vous n'êtes pas obligé d'être aussi habile que nous.

GÉRONTE

Assurément. Mais, Monsieur, que croyez-vous qu'il faille faire à cette maladie ?

SGANARELLE

Ce que je crois qu'il faille faire ?

GÉRONTE

Oui.

SGANARELLE

Mon avis est qu'on la remette sur son lit, et qu'on lui fasse prendre pour remède quantité de pain trempé dans du vin.

GÉRONTE

Pourquoi cela, Monsieur ?

SGANARELLE

Parce qu'il y a dans le vin et le pain, mêlés ensemble, une vertu sympathique [1] qui fait parler. Ne voyez-vous pas bien qu'on ne donne autre chose aux perroquets, et qu'ils apprennent à parler en mangeant de cela ?

GÉRONTE

Cela est vrai. Ah ! le grand homme ! Vite, quantité de pain et de vin !

SGANARELLE

Je reviendrai voir, sur le soir, en quel état elle sera. *(À la Nourrice.)* Doucement, vous. *(À Géronte.)* Monsieur, voilà une nourrice à laquelle il faut que je fasse quelques petits remèdes.

JACQUELINE

Qui ? moi ? Je me porte le mieux du monde.

SGANARELLE

Tant pis, Nourrice, tant pis. Cette grande santé est à craindre, et il ne sera mauvais de vous faire quelque petite saignée amiable [2], de vous donner quelque petit clystère [3] dulcifiant [4].

GÉRONTE

Mais, Monsieur, voilà une mode que je ne comprends point. Pourquoi s'aller faire saigner quand on n'a point de maladie ?

1. Qui agit par affinité.
2. Aimable, douce.
3. Lavement.
4. Qui adoucit.

SGANARELLE

Il n'importe, la mode en est salutaire ; et comme on boit pour la soif à venir, il faut se faire aussi saigner pour la maladie à venir.

JACQUELINE, *en se retirant.*

Ma fi ! je me moque de ça, et je ne veux point faire de mon corps une boutique d'apothicaire.

SGANARELLE

Vous êtes rétive aux remèdes ; mais nous saurons vous soumettre à la raison. *(Parlant à Géronte.)* Je vous donne le bonjour.

GÉRONTE

Attendez un peu, s'il vous plaît.

SGANARELLE

Que voulez-vous faire ?

GÉRONTE

Vous donner de l'argent, Monsieur.

SGANARELLE, *tendant sa main derrière, par-dessous sa robe, tandis que Géronte ouvre sa bourse.*

Je n'en prendrai pas, Monsieur.

GÉRONTE

Monsieur...

SGANARELLE

Point du tout.

GÉRONTE

Un petit moment.

SGANARELLE

En aucune façon.

GÉRONTE

De grâce !

SGANARELLE

Vous vous moquez.

GÉRONTE

Voilà qui est fait.

SGANARELLE

Je n'en ferai rien.

GÉRONTE

Eh !

SGANARELLE

Ce n'est pas l'argent qui me fait agir.

GÉRONTE

Je le crois.

SGANARELLE, *après avoir pris l'argent.*

Cela est-il de poids ?

GÉRONTE

Oui, Monsieur.

SGANARELLE

Je ne suis pas un médecin mercenaire[1].

GÉRONTE

Je le sais bien.

SGANARELLE

L'intérêt ne me gouverne point.

GÉRONTE

Je n'ai pas cette pensée.

SCÈNE 5
Sganarelle, Léandre.

SGANARELLE, *regardant son argent.*

Ma foi ! cela ne va pas mal ; et pourvu que...

LÉANDRE

Monsieur, il y a longtemps que je vous attends, et je viens implorer votre assistance.

SGANARELLE, *lui prenant le poignet.*

Voilà un pouls qui est fort mauvais.

LÉANDRE

Je ne suis point malade, Monsieur, et ce n'est pas pour cela que je viens à vous.

1. Qui ne travaille que pour un salaire.

SGANARELLE

Si vous n'êtes pas malade, que diable ne le dites-vous donc ?

LÉANDRE

Non. Pour vous dire la chose en deux mots, je m'appelle Léandre, qui suis amoureux de Lucinde, que vous venez de visiter ; et comme, par la mauvaise humeur de son père, toute sorte d'accès m'est fermé auprès d'elle, je me hasarde à vous prier de vouloir servir mon amour, et de me donner lieu d'exécuter un stratagème que j'ai trouvé, pour lui pouvoir dire deux mots d'où dépendent absolument mon bonheur et ma vie.

SGANARELLE, *paraissant en colère.*

Pour qui me prenez-vous ? Comment oser vous adresser à moi pour vous servir dans votre amour, et vouloir ravaler la dignité de médecin à des emplois de cette nature ?

LÉANDRE

Monsieur, ne faites point de bruit.

SGANARELLE, *en le faisant reculer.*

J'en veux faire, moi. Vous êtes un impertinent.

LÉANDRE

Eh ! Monsieur, doucement.

SGANARELLE

Un malavisé.

LÉANDRE

De grâce !

SGANARELLE

Je vous apprendrai que je ne suis point homme à cela, et que c'est une insolence extrême...

LÉANDRE, *tirant une bourse qu'il lui donne.*

Monsieur...

SGANARELLE, *tenant la bourse.*

De vouloir m'employer... Je ne parle pas pour vous, car vous êtes honnête homme, et je serais ravi de vous rendre service ; mais il y a de certains impertinents au monde qui viennent prendre les gens pour ce qu'ils ne sont pas ; et je vous avoue que cela me met en colère.

LÉANDRE

Je vous demande pardon, Monsieur, de la liberté que...

SGANARELLE

Vous vous moquez. De quoi est-il question ?

LÉANDRE

Vous saurez donc, Monsieur, que cette maladie que vous voulez guérir est une feinte maladie. Les médecins ont raisonné là-dessus comme il faut ; et ils n'ont pas manqué de dire que cela procédait, qui du cerveau, qui des entrailles, qui de la rate, qui du foie ; mais il est certain que l'amour en est la véritable cause, et que Lucinde n'a trouvé cette maladie que pour se délivrer d'un mariage dont elle était importunée. Mais, de crainte qu'on ne nous voie ensemble, retirons-nous d'ici, et je vous dirai en marchant ce que je souhaite de vous.

SGANARELLE

Allons, Monsieur, vous m'avez donné pour votre amour une tendresse qui n'est pas concevable ; et j'y perdrai toute ma médecine, ou la malade crèvera, ou bien elle sera à vous.

ACTE III

SCÈNE 1

Sganarelle, Léandre.

LÉANDRE

Il me semble que je ne suis pas mal ainsi pour un apothicaire[1] ; et comme le père ne m'a guère vu, ce changement d'habit et de perruque est assez capable, je crois, de me déguiser à ses yeux.

SGANARELLE

Sans doute.

LÉANDRE

Tout ce que je souhaiterais serait de savoir cinq ou six grands mots de médecine, pour parer[2] mon discours et me donner l'air d'habile homme.

SGANARELLE

Allez, allez, tout cela n'est pas nécessaire ; il suffit de l'habit, et je n'en sais pas plus que vous.

1. Celui qui préparait les médicaments. Il administrait aussi les lavements.
2. Embellir.

LÉANDRE

Comment ?

SGANARELLE

Diable emporte si j'entends rien en médecine ! Vous êtes honnête homme, et je veux bien me confier à vous, comme vous vous confiez à moi.

LÉANDRE

Quoi ? vous n'êtes pas effectivement...

SGANARELLE

Non, vous dis-je ; ils m'ont fait médecin malgré mes dents. Je ne m'étais jamais mêlé d'être si savant que cela ; et toutes mes études n'ont été que jusqu'en sixième. Je ne sais point sur quoi cette imagination leur est venue ; mais quand j'ai vu qu'à toute force ils voulaient que je fusse médecin, je me suis résolu de l'être aux dépens de qui il appartiendra. Cependant vous ne sauriez croire comment l'erreur s'est répandue, et de quelle façon chacun est endiablé à me croire habile homme. On me vient chercher de tous les côtés ; et si les choses vont toujours de même, je suis d'avis de m'en tenir, toute ma vie, à la médecine. Je trouve que c'est le métier le meilleur de tous ; car, soit qu'on fasse bien ou soit qu'on fasse mal, on est toujours payé de même sorte. La méchante besogne ne retombe jamais sur notre dos, et nous taillons, comme il nous plaît, sur l'étoffe où nous travaillons. Un cordonnier, en faisant des souliers, ne saurait gâter un morceau de cuir qu'il n'en paye les pots cassés ; mais ici l'on peut gâter un homme sans qu'il en coûte rien. Les bévues ne sont point pour nous ; et c'est toujours la faute de celui qui meurt. Enfin, le bon de cette profession est qu'il y a parmi les morts une honnêteté, une discrétion la plus grande du monde ; et jamais on n'en voit se plaindre du médecin qui l'a tué.

LÉANDRE

Il est vrai que les morts sont fort honnêtes gens sur cette matière.

SGANARELLE,
voyant des hommes qui viennent vers lui.

Voilà des gens qui ont la mine de me venir consulter. *(À Léandre.)* Allez toujours m'attendre auprès du logis de votre maîtresse.

SCÈNE 2
Thibaut, Perrin, Sganarelle.

THIBAUT

Monsieu, je venons vous charcher, mon fils Perrin et moi.

SGANARELLE

Qu'y a-t-il ?

THIBAUT

Sa pauvre mère, qui a nom Parette, est dans un lit, malade, il y a six mois.

SGANARELLE, *tendant la main comme pour recevoir de l'argent.*

Que voulez-vous que j'y fasse ?

THIBAUT

Je voudrions, Monsieu, que vous nous baillissiez quelque petite drôlerie pour la garir.

SGANARELLE

Il faut voir de quoi est-ce qu'elle est malade.

THIBAUT

Alle est malade d'hypocrisie [1], Monsieu.

SGANARELLE

D'hypocrisie ?

THIBAUT

Oui, c'est-à-dire qu'alle est enflée par tout ; et l'an dit que c'est quantité de sériosités [2] qu'alle a dans le corps, et que son foie, son ventre, ou sa rate, comme vous voudrais l'appeler, au glieu de faire du sang, ne fait plus que de l'iau. Alle a, de deux jours l'un, la fièvre quotiguienne, avec des lassitudes et des douleurs dans les mufles des jambes. On entend dans sa gorge des fleumes [3] qui sont tout prêts à l'étouffer ; et par fois il lui prend des syncoles et des conversions [4] que je crayons qu'alle est passée. J'avons dans notte village un apothicaire, révérence parler, qui li a donné je ne sai combien d'histoires ; et il m'en coûte plus d'eune douzaine de bons écus en lavements, ne v's en déplaise, en apostumes qu'on li a fait prendre, en infections de jacinthe et en portions cordales. Mais tout ça, comme

1. Pour hydropisie.
2. Liquides.
3. Flegme ; ici, mucosités.
4. Des syncopes et des convulsions.

dit l'autre, n'a été que de l'onguent miton-mitaine[1]. Il velait li bailler d'eune certaine drogue que l'on appelle du vin amétile ; mais j'ai-s-eu peur, franchement, que ça l'envoyît à *patres*, et l'an dit que ces gros médecins tuont je ne sai combien de monde avec cette invention-là.

SGANARELLE,
tendant toujours la main et la branlant, comme pour signe qu'il demande de l'argent.

Venons au fait, mon ami, venons au fait.

THIBAUT

Le fait est, Monsieu, que je venons vous prier de nous dire ce qu'il faut que je fassions.

SGANARELLE

Je ne vous entends point du tout.

PERRIN

Monsieu, ma mère est malade ; et velà deux écus que je vous apportons pour nous bailler queuque remède.

SGANARELLE

Ah ! je vous entends, vous. Voilà un garçon qui parle clairement, qui s'explique comme il faut. Vous dites que votre mère est malade d'hydropisie, qu'elle est enflée par tout le corps, qu'elle a la fièvre, avec des douleurs dans les jambes, et qu'il lui prend parfois des syncopes et des convulsions, c'est-à-dire des évanouissements ?

1. Qui ne fait ni de bien ni de mal.

PERRIN

Eh ! oui, Monsieu, c'est justement ça.

SGANARELLE

J'ai compris d'abord[1] vos paroles. Vous avez un père qui ne sait ce qu'il dit. Maintenant vous me demandez un remède ?

PERRIN

Oui, Monsieu.

SGANARELLE

Un remède pour la guérir ?

PERRIN

C'est comme je l'entendons.

SGANARELLE

Tenez, voilà un morceau de formage qu'il faut que vous lui fassiez prendre.

PERRIN

Du fromage, Monsieu ?

SGANARELLE

Oui, c'est un formage préparé, où il entre de l'or, du coral et des perles, et quantité d'autres choses précieuses.

1. Tout de suite.

PERRIN

Monsieu, je vous sommes bien obligés ; et j'allons li faire prendre ça tout à l'heure.

SGANARELLE

Allez. Si elle meurt, ne manquez pas de la faire enterrer du mieux que vous pourrez.

SCÈNE 3

Jacqueline, Sganarelle, Lucas,
dans le fond du théâtre.

SGANARELLE

Voici la belle Nourrice. Ah ! Nourrice de mon cœur, je suis ravi de cette rencontre, et votre vue est la rhubarbe, la casse et le séné qui purgent toute la mélancolie de mon âme.

JACQUELINE

Par ma figué ! Monsieu le Médecin, ça est trop bian dit pour moi, et je n'entends rien à tout votte latin.

SGANARELLE

Devenez malade, Nourrice, je vous prie ; devenez malade, pour l'amour de moi. J'aurais toutes les joies du monde de vous guérir.

JACQUELINE

Je sis votte sarvante ; j'aime bian mieux qu'an ne me guérisse pas.

SGANARELLE

Que je vous plains, belle Nourrice, d'avoir un mari jaloux et fâcheux comme celui que vous avez !

JACQUELINE

Que velez-vous, Monsieu ? c'est pour la pénitence de mes fautes ; et là où la chèvre est liée, il faut bian qu'alle y broute.

SGANARELLE

Comment ? un rustre comme cela ? un homme qui vous observe toujours, et ne veut pas que personne vous parle !

JACQUELINE

Hélas ! vous n'avez rien vu encore, et ce n'est qu'un petit échantillon de sa mauvaise humeur.

SGANARELLE

Est-il possible ? et qu'un homme ait l'âme assez basse pour maltraiter une personne comme vous ? Ah ! que j'en sais, belle Nourrice, et qui ne sont pas loin d'ici, qui se tiendraient heureux de baiser seulement les petits bouts de vos petons ! Pourquoi faut-il qu'une personne si bien faite soit tombée en de telles mains, et qu'un franc animal, un brutal, un stupide, un sot... Pardonnez-moi, Nourrice, si je parle ainsi de votre mari.

JACQUELINE

Eh ! Monsieu, je sai bien qu'il mérite tous ces noms-là.

SGANARELLE

Oui, sans doute, Nourrice, il les mérite ; et il mériterait encore que vous lui missiez quelque chose sur la tête, pour le punir des soupçons qu'il a.

JACQUELINE

Il est bien vrai que si je n'avais devant les yeux que son intérêt, il pourrait m'obliger à queuque étrange chose.

SGANARELLE

Ma foi ! vous ne feriez pas mal de vous venger de lui avec quelqu'un. C'est un homme, je vous le dis, qui mérite bien cela ; et si j'étais assez heureux, belle Nourrice, pour être choisi pour...

En cet endroit, tous deux apercevant Lucas qui était derrière eux et entendait leur dialogue, chacun se retire de son côté, mais le Médecin d'une manière fort plaisante.

SCÈNE 4

Géronte, Lucas.

GÉRONTE

Holà ! Lucas, n'as-tu point vu ici notre médecin ?

LUCAS

Eh oui, de par tous les diantres [1], je l'ai vu, et ma femme aussi.

GÉRONTE

Où est-ce donc qu'il peut être ?

1. Par tous les diables.

LUCAS

Je ne sai ; mais je voudrais qu'il fût à tous les guebles.

GÉRONTE

Va-t'en voir un peu ce que fait ma fille.

SCÈNE 5

Sganarelle, Léandre, Géronte.

GÉRONTE

Ah ! Monsieur, je demandais où vous étiez.

SGANARELLE

Je m'étais amusé dans votre cour à expulser le superflu de la boisson. Comment se porte la malade ?

GÉRONTE

Un peu plus mal depuis votre remède.

SGANARELLE

Tant mieux : c'est signe qu'il opère.

GÉRONTE

Oui ; mais, en opérant, je crains qu'il ne l'étouffe.

SGANARELLE

Ne vous mettez pas en peine : j'ai des remèdes qui se moquent de tout, et je l'attends à l'agonie.

GÉRONTE, *montrant Léandre.*

Qui est cet homme-là que vous amenez ?

SGANARELLE, *faisant des signes avec la main que c'est un apothicaire.*

C'est...

GÉRONTE

Quoi ?

SGANARELLE

Celui...

GÉRONTE

Eh ?

SGANARELLE

Qui...

GÉRONTE

Je vous entends.

SGANARELLE

Votre fille en aura besoin.

SCÈNE 6

Jacqueline, Lucinde, Géronte, Léandre, Sganarelle.

JACQUELINE

Monsieu, velà votre fille qui veut un peu marcher.

SGANARELLE

Cela lui fera du bien. *(À Léandre.)* Allez-vous-en, Monsieur l'Apothicaire, tâter un peu son pouls, afin que je raisonne tantôt avec vous de sa maladie.

En cet endroit, il tire Géronte à un bout du théâtre et, lui passant un bras sur les épaules, lui rabat la main sous le menton, avec laquelle il le fait retourner vers lui, lorsqu'il veut regarder ce que sa fille et l'apothicaire font ensemble, lui tenant cependant le discours suivant pour l'amuser :

Monsieur, c'est une grande et subtile question entre les doctes de savoir si les femmes sont plus faciles à guérir que les hommes. Je vous prie d'écouter ceci, s'il vous plaît. Les uns disent que non, les autres disent que oui ; et moi je dis que oui et non ; d'autant que l'incongruité[1] des humeurs opaques qui se rencontrent au tempérament naturel des femmes étant cause que la partie brutale veut toujours prendre empire sur la sensitive[2], on voit que l'inégalité de leurs opinions dépend du mouvement oblique du cercle de la lune ; et comme le soleil, qui darde ses rayons sur la concavité de la terre, trouve...

LUCINDE, *à Léandre.*

Non, je ne suis point du tout capable de changer de sentiments.

GÉRONTE

Voilà ma fille qui parle ! Ô grande vertu du remède ! Ô admirable médecin ! Que je vous suis obligé, Mon-

1. Caractère de ce qui est contraire aux usages.
2. Sensibilité.

sieur, de cette guérison merveilleuse ! et que puis-je faire pour vous après un tel service ?

SGANARELLE, *se promenant sur le théâtre et s'essuyant le front.*

Voilà une maladie qui m'a bien donné de la peine !

LUCINDE

Oui, mon père, j'ai recouvré la parole ; mais je l'ai recouvrée pour vous dire que je n'aurai jamais d'autre époux que Léandre, et que c'est inutilement que vous voulez me donner Horace.

GÉRONTE

Mais...

LUCINDE

Rien n'est capable d'ébranler la résolution que j'ai prise.

GÉRONTE

Quoi... ?

LUCINDE

Vous m'opposerez en vain de belles raisons.

GÉRONTE

Si...

LUCINDE

Tous vos discours ne serviront de rien.

GÉRONTE

Je...

LUCINDE

C'est une chose où je suis déterminée.

GÉRONTE

Mais...

LUCINDE

Il n'est puissance paternelle qui me puisse obliger à me marier malgré moi.

GÉRONTE

J'ai...

LUCINDE

Vous avez beau faire tous vos efforts.

GÉRONTE

Il...

LUCINDE

Mon cœur ne saurait se soumettre à cette tyrannie.

GÉRONTE

Là...

LUCINDE

Et je me jetterai plutôt dans un couvent que d'épouser un homme que je n'aime point.

GÉRONTE

Mais...

LUCINDE, *parlant d'un ton de voix à étourdir.*

Non. En aucune façon. Point d'affaire. Vous perdez le temps. Je n'en ferai rien. Cela est résolu.

GÉRONTE

Ah ! quelle impétuosité de paroles ! Il n'y a pas moyen d'y résister. *(À Sganarelle.)* Monsieur, je vous prie de la faire redevenir muette.

SGANARELLE

C'est une chose qui m'est impossible. Tout ce que je puis faire pour votre service est de vous rendre sourd, si vous voulez.

GÉRONTE

Je vous remercie. *(À Lucinde.)* Penses-tu donc...

LUCINDE

Non. Toutes vos raisons ne gagneront rien sur mon âme.

GÉRONTE

Tu épouseras Horace, dès ce soir.

LUCINDE

J'épouserai plutôt la mort.

SGANARELLE, *à Géronte.*

Mon Dieu ! arrêtez-vous, laissez-moi médicamenter cette affaire. C'est une maladie qui la tient, et je sais le remède qu'il y faut apporter.

GÉRONTE

Serait-il possible, Monsieur, que vous pussiez aussi guérir cette maladie d'esprit ?

SGANARELLE

Oui, laissez-moi faire, j'ai des remèdes pour tout, et notre apothicaire nous servira pour cette cure. *(Il appelle l'Apothicaire et lui parle.)* Un mot. Vous voyez que l'ardeur qu'elle a pour ce Léandre est tout à fait contraire aux volontés du père, qu'il n'y a point de temps à perdre, que les humeurs sont fort aigries, et qu'il est nécessaire de trouver promptement un remède à ce mal, qui pourrait empirer par le retardement. Pour moi, je n'y en vois qu'un seul, qui est une prise de fuite [1] purgative, que vous mêlerez comme il faut avec deux drachmes de matrimonium [2] en pilules. Peut-être fera-t-elle quelque difficulté à prendre ce remède ; mais, comme vous êtes habile homme dans votre métier, c'est à vous de l'y résoudre, et de lui faire avaler la chose du mieux que vous pourrez. Allez-vous-en lui faire faire un petit tour de jardin, afin de préparer les humeurs, tandis que j'entretiendrai ici son père ; mais surtout ne perdez point de temps. Au remède, vite, au remède spécifique !

1. Conseil caché derrière le jargon du médecin : leur seule solution est de fuir.
2. En latin, mariage.

SCÈNE 7

Géronte, Sganarelle.

GÉRONTE

Quelles drogues, Monsieur, sont celles que vous venez de dire ? il me semble que je ne les ai jamais ouï[1] nommer.

SGANARELLE

Ce sont drogues dont on se sert dans les nécessités urgentes.

GÉRONTE

Avez-vous jamais vu une insolence pareille à la sienne ?

SGANARELLE

Les filles sont quelquefois un peu têtues.

GÉRONTE

Vous ne sauriez croire comme elle est affolée de[2] ce Léandre.

SGANARELLE

La chaleur du sang fait cela dans les jeunes esprits.

1. Entendu.
2. Folle de.

GÉRONTE

Pour moi, dès que j'ai eu découvert la violence de cet amour, j'ai su tenir toujours ma fille renfermée.

SGANARELLE

Vous avez fait sagement.

GÉRONTE

Et j'ai bien empêché qu'ils n'aient eu communication ensemble.

SGANARELLE

Fort bien.

GÉRONTE

Il serait arrivé quelque folie, si j'avais souffert qu'ils se fussent vus.

SGANARELLE

Sans doute.

GÉRONTE

Et je crois qu'elle aurait été fille à s'en aller avec lui.

SGANARELLE

C'est prudemment raisonné.

GÉRONTE

On m'avertit qu'il fait tous ses efforts pour lui parler.

SGANARELLE

Quel drôle !

GÉRONTE

Mais il perdra son temps.

SGANARELLE

Ah ! ah !

GÉRONTE

Et j'empêcherai bien qu'il ne la voie.

SGANARELLE

Il n'a pas affaire à un sot, et vous savez des rubriques qu'il ne sait pas. Plus fin que vous n'est pas bête.

SCÈNE 8

Lucas, Géronte, Sganarelle.

LUCAS

Ah ! palsanguenne, Monsieur, vaici bian du tintamarre. Votte fille s'en est enfuie avec son Liandre. C'était lui qui était l'Apothicaire ; et velà Monsieu le Médecin qui a fait cette belle opération-là.

GÉRONTE

Comment ! m'assassiner de la façon ! Allons, un commissaire ! et qu'on empêche qu'il ne sorte ! Ah ! traître ! je vous ferai punir par la justice.

LUCAS

Ah ! par ma fi ! Monsieur le Médecin, vous serez pendu ! Ne bougez de là seulement.

SCÈNE 9

Martine, Sganarelle, Lucas.

MARTINE, *à Lucas.*

Ah ! mon Dieu ! que j'ai eu de peine à trouver ce logis. Dites-moi un peu des nouvelles du médecin que je vous ai donné.

LUCAS

Le velà qui va être pendu.

MARTINE

Quoi ! mon mari pendu ! Hélas ! et qu'a-t-il fait pour cela ?

LUCAS

Il a fait enlever la fille de notte maître.

MARTINE

Hélas ! mon cher mari, est-il bien vrai qu'on te va pendre ?

SGANARELLE

Tu vois. Ah !

MARTINE

Faut-il que tu te laisses mourir en présence de tant de gens ?

SGANARELLE

Que veux-tu que j'y fasse ?

MARTINE

Encore si tu avais achevé de couper notre bois, je prendrais quelque consolation.

SGANARELLE

Retire-toi de là, tu me fends le cœur.

MARTINE

Non, je veux demeurer pour t'encourager à la mort, et je ne te quitterai point que je ne t'aie vu pendu.

SGANARELLE

Ah !

SCÈNE 10

Géronte, Sganarelle, Martine, Lucas.

GÉRONTE, *à Sganarelle.*

Le Commissaire viendra bientôt, et l'on s'en va vous mettre en lieu où l'on me répondra de vous.

SGANARELLE, *le chapeau à la main.*

Hélas ! cela ne se peut-il point changer en quelques coups de bâton ?

GÉRONTE

Non, non : la justice en ordonnera... Mais que vois-je ?

SCÈNE 11 ET DERNIÈRE

Léandre, Lucinde, Jacqueline, Lucas,
Géronte, Sganarelle, Martine.

LÉANDRE

Monsieur, je viens faire paraître Léandre à vos yeux, et remettre Lucinde en votre pouvoir. Nous avons eu dessein de prendre la fuite nous deux, et de nous aller marier ensemble ; mais cette entreprise a fait place à un procédé plus honnête. Je ne prétends point vous voler votre fille, et ce n'est que de votre main que je veux la recevoir. Ce que je vous dirai, Monsieur, c'est que je viens tout à l'heure de recevoir des lettres par où j'apprends que mon oncle est mort, et que je suis héritier de tous ses biens.

GÉRONTE

Monsieur, votre vertu m'est tout à fait considérable, et je vous donne ma fille avec la plus grande joie du monde.

SGANARELLE

La médecine l'a échappé belle !

MARTINE

Puisque tu ne seras point pendu, rends-moi grâce d'être médecin ; car c'est moi qui t'ai procuré cet honneur.

SGANARELLE

Oui, c'est toi qui m'as procuré je ne sais combien de coups de bâton.

LÉANDRE

L'effet en est trop beau pour en garder du ressentiment.

SGANARELLE

Soit. *(À Martine.)* Je te pardonne ces coups de bâton en faveur de la dignité où tu m'as élevé ; mais prépare-toi désormais à vivre dans un grand respect avec un homme de ma conséquence, et songe que la colère d'un médecin est plus à craindre qu'on ne peut croire.

Imprimé en France par

MAURY IMPRIMEUR
à Malesherbes (Loiret)
en août 2016

POCKET – 12, avenue d'Italie – 75627 Paris Cedex 13

N° d'impression : 210690
Dépôt légal : juin 2005
Suite du premier tirage : août 2016
S15221/11